JN139547

「五つの敬語」第三巻

謙譲語（けんじょうご）

私（わたし）が、けんじょうごです。
けんじょうごちゃんと
呼（よ）んで下さい。

「五つの敬語」第三巻

謙譲語

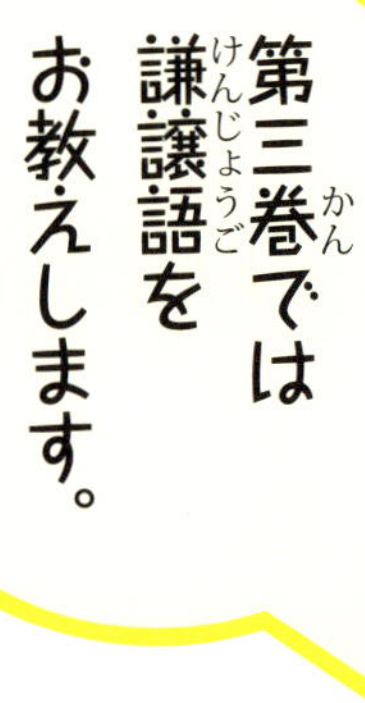

目次

本書で○×△などの記号で説明している部分がありますが、これは「正しい」「誤り」などを明確に指摘するものではなく、敬語の基本の使い方として適切なもの、そうではないものを示しています。敬語は、相手に対する敬意を示す言葉で自己表現となりますので、完全な正解、不正解という判断はなじみません。

「謙譲語」は、相手を「上げる」ために自分を「下げる」言葉づかい

「謙譲語」は、自分を下げる（へりくだる、譲る）ことで自分の立場を控えめにし、相手側、あるいは相手ではない第三者（自分でも相手でもない人）を上げる（立てる、高める）ことにより敬意を表すために使います。このため、主語は必ず自分（自分側＝兄弟・家族・仲間など）になります。主語は省略されることもあります。

この「謙譲語」には二つの種類があります。①自分から相手または第三者に向かう動作について、その向かう先の人を立てて、つまり上げて敬意を表す場合と、②「丁重語（謙譲語Ⅱ）」（第四巻で学習）です。

「謙譲語」は、自分の動作が、上げる（立てる）べき人に向かうときに使われます。

「常体語」から「謙譲語」へ「特定形」の動詞

「謙譲語」では、「尊敬語」と同じように「常体語」（普通語）を特定の語形に言いかえて敬意を表す場合があります。
基本的な「謙譲語」の「特定形」を学びましょう。

謙譲語にも
動詞が変化する
特定形があります。

●謙譲語「特定形」

常体語→謙譲語

「言う」→「申し上げる」

「上げる」→「差し上げる」

「もらう」→「頂く」

「訪ねる」「尋ねる」「聞く」→「伺う」

「会う」→「お目にかかる」

「見せる」→「お目にかける」「ご覧に入れる」

「借りる」→「拝借する」

頂きました!

「謙譲語（けんじょうご）」の「特定形」「言う」→「申し上げる」

「申し上げる」は、例えば校長先生という「上げるべき向かう先の人」がいる動詞なので「謙譲語」に分類されます。

実際（じっさい）に使うときは、「申し上げます」「申し上げました」と、「丁寧語（ていねいご）」の「ます」を付けて使うのが基本（きほん）です。

●謙譲語「特定形」：「言う」→「申し上げる」「申し上げます」

常体語(じょうたいご)→謙譲語

「お礼を言う」→

「お礼を申し上げる」→

「お礼を申し上げます」

「自分の名前を市長に言った」→

「自分の名前を市長に申し上げた」→

「自分の名前を市長に申し上げました」

「謙譲語(けんじょうご)」の「特定形」「上げる」(与(あた)える・贈(おく)る・送る)→「差し上げる」

品物を上げる(与える)ことや、手紙を送ることの「上げる」は、その動作が向かう先に、上げるべき人がいますから「謙譲語(けんじょうご)」で、その「特定形」は「差し上げる」です。

実際(じっさい)に使うとき、「差し上げます」「差し上げました」と、「丁寧語(ていねいご)」の「ます」を付けるのが基本(きほん)です。

「上げる」は、「差し上げる」に変化します。

●謙譲語「特定形」：「上げる」→「差し上げる」
「差し上げます」

常体語(じょうたいご)→謙譲語

「プレゼントを上げる」→
「プレゼントを差し上げる」→
「プレゼントを差し上げます」

「お礼の手紙を送った」→
「お礼の手紙を差し上げた」→
「お礼の手紙を差し上げました」

「謙譲語」の「特定形」「もらう」→「頂く」

「もらう」という動作は、「もらう」側から見れば、その物の出所から自分の方に向かってきたということなので、「謙譲語」にすることができ「特定形」の「頂く」に変化します。

実際に使うときは、「頂きます」「頂きました」と、「丁寧語」の「ます」を付けて使うのが基本です。

すてきなプレゼントを「頂きました」。

物をもらうだけではなく援助や好意にも使います

「もらう」には、実際に物をもらう（与えられる）意味と、応援や励ましなどの好意をもらう、二つの意味があります。

●謙譲語「特定形」:「もらう」→「頂く」「頂きます」
常体語(じょうたいご)→謙譲語

「果物をもらう」→
「果物を頂く」→
「果物を頂きます」

「応援(おうえん)してもらった」→
「応援して頂いた」→
「応援して頂きました」

#「謙譲語」の「特定形」「訪ねる」「尋ねる」「聞く」→「伺う」

「訪問する」、「質問する」、「聞く」という意味の「訪ねる」、「尋ねる」、「聞く」という動詞は、「謙譲語」では全て同じ「特定形」の「伺う」に変化します。実際に使うとき、「伺います」「伺いました」と「丁寧語」の「ます」を付けて使うのが基本です。

意味の違う動詞ですが、同じ「伺う」に変化します。

「謙譲語」の「伺う」

「訪ねる」「尋ねる」「聞く」以外に、「行く」の「謙譲語」の特定形でもあります。

●謙譲語「特定形」：「訪ねる」「尋ねる」「聞く」→「伺う」「伺います」

常体語→謙譲語

「先生のお祝いに訪ねる」→「先生のお祝いに伺う」→「先生のお祝いに伺います」

「校長先生に愛読書を尋ねる」→「校長先生に愛読書を伺う」→「校長先生に愛読書を伺います」

「コーチの方針を聞く」→「コーチの方針を伺う」→「コーチの方針を伺います」

「謙譲語」の「特定形」
「会う」→「お目にかかる」

「会う」という動詞は、「謙譲語」の「特定形」では「お目にかかる」に変化します。実際に使うとき、「お目にかかります」「お目にかかりました」と「丁寧語」の「ます」を付けて使うのが基本です。

「お会いする」

「お目にかかる」はとても丁寧な、かしこまった表現なので、一般的な礼儀、敬語としては、謙譲語の一般形「お会いする」（P26）で十分です。左ページの例文で「お会いする」に言いかえてみましょう。

●謙譲語「特定形」：「会う」→「お目にかかる」

常体語(じょうたいご)→謙譲語

「初めて会う」→「初めてお目にかかる」

「会えますか」→「お目にかかれますか」

「恩師(おんし)に会った」→

「恩師にお目にかかった」→

「恩師にお目にかかりました」

「謙譲語（けんじょうご）」の「特定形（とくていけい）」「見せる」→「お目にかける」

「見せる」という動詞（どうし）は、「謙譲語」の「特定形」では「お目にかける」に変化します。実際（じっさい）に使うとき、「お目にかけます」「お目にかけました」と「丁寧語（ていねいご）」の「ます」を付けて使うのが基本（きほん）です。

アクロバットをお目にかけます。

「ご覧（らん）に入れる」

「お目にかける」のほかにも、「ご覧に入れる」を使うことができます。「謙譲語（けんじょうご）」の一般形（いっぱんけい）（P26）の「お見せする」でも礼儀（れいぎ）としては十分通用します。左ページの文例で言いかえてみましょう。

●謙譲語「特定形」：「見せる」→「お目にかける」「お目にかけます」

常体語(じょうたいご)→謙譲語

「見せる」→「お目にかける」→「お目にかけます」

「絵を見せた」→「絵をお目にかけた」→「絵をお目にかけました」→

「謙譲語」の「特定形」
「見る」→「拝見する」

「見る」という動詞は、「謙譲語」の「特定形」では「拝見する」に変化します。
実際に使うとき、「拝見します」「拝見しました」と「丁寧語」の「ます」を付けて使うのが基本です。

「拝見します」。

「見る」→「拝む」

「拝」は、頭を垂れて（頭を下げて）拝むことを言います。「拝むように見る」ということで「拝見する」という言葉になります。

●謙譲語「特定形」：「見る」→「拝見する」「拝見します」

常体語→謙譲語

「先生の作品を見る」→

「先生の作品を拝見する」

「先生の作品を拝見します」

「先輩の舞台を見た」→

「先輩の舞台を拝見した」

「先輩の舞台を拝見しました」

●カンちがい「謙譲語」
「見る」→「拝見なさる」

「拝見なさる」は、「謙譲語」の「拝見する」の「……する」を「尊敬語」である「なさる」と組み合わせた形で適切な表現ではありません。

「謙譲語」の「拝見する」の主語は、自分や自分側であり、自分を下げて、相手を上げています。

しかし、「……なさる」の「尊敬語」の主語は、相手で、これを上げています。

この二つを組み合わせてはいけません、

謙譲語では
自分を下げるので
「拝見する」が
適切な敬語です。

●常体語（じょうたいご）→謙譲語：「見る」→「拝見する」

「先生が絵を見る」→

「先生が絵を拝見なさる」×

「私が絵を見る」→

「私が絵を拝見する」○

「私が絵を拝見します」○

●常体語（じょうたいご）→尊敬語：「見る」→「ご覧になる」

「先生が絵を見る」→

「先生が絵をご覧（らん）になる」○（尊敬語）

「先生が絵をご覧になります」○（尊敬語）

「謙譲語」の「特定形」
「借りる」→「拝借する」

「借りる」という動詞は、「謙譲語」の「特定形」では「拝借する」に変化します。実際に使うとき、「拝借する」「拝借しました」と「丁寧語」の「ます」を付けて使います。

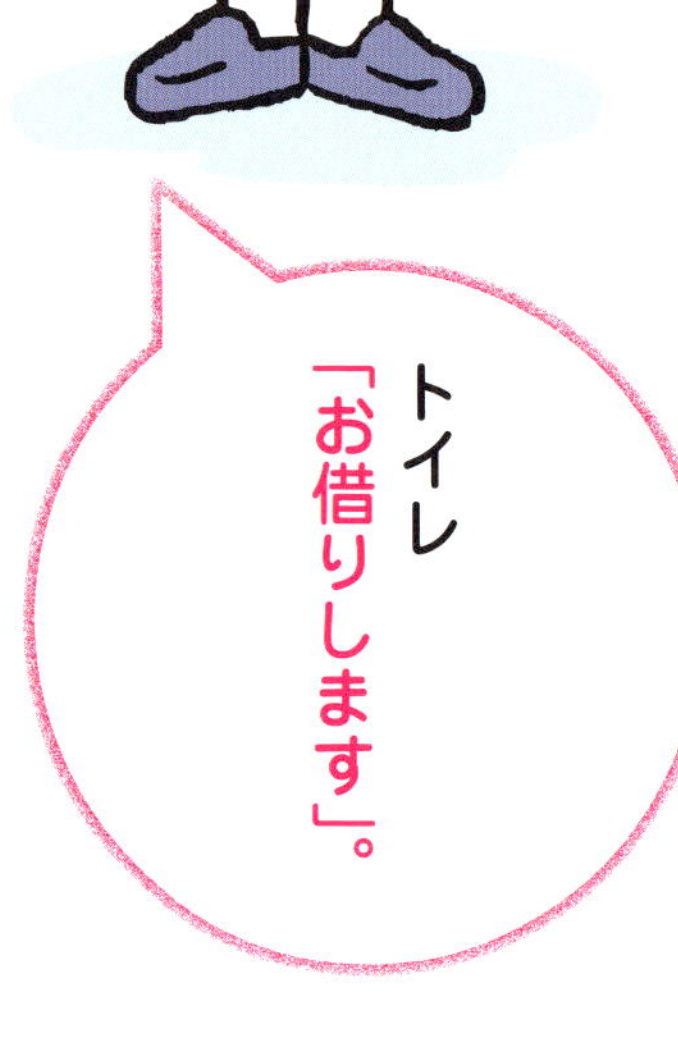

「お借りします」

「謙譲語」の「拝借する」はかしこまった表現なので、「謙譲語」の一般形(P26)「お借りする」でも礼儀としては十分通用します。左ページの文章の「拝借する」を「お借りする」に言いかえてみましょう。

●謙譲語「特定形」:「借りる」→「拝借する」「拝借します」

常体語→謙譲語

「イスを借りる」→
「イスを拝借する」
「イスを拝借します」

「トイレを借りる」→
「トイレを拝借する」
「トイレを拝借します」

「(お)知恵を借りた」→
「(お)知恵を拝借した」
「(お)知恵を拝借しました」

「謙譲語」の「一般形」『「お」「ご」……する』

「謙譲語」で、広く使えるのが、『「お」「ご」……する』で示される構文です。いろいろな語に適用できる一般的な語形で「一般形」と分類されます。実際に使うとき、「……します」と「丁寧語」の「ます」を付けて使います。

向かう先がある動詞だけ使えます

「届ける」や「案内する」は、向かう先の人物（届ける先、案内して差し上げる人）がある動詞なので一般形を作ることができます。

お＋和語……する
ご＋漢語……する
の組み合わせが普通です。

そのようにならない動詞はP30で説明します。

●謙譲語「一般形」：『「お」「ご」……する』
常体語→謙譲語

「寄る」→「お寄りする」「お寄りします」
「待つ」→「お待ちする」「お待ちします」
「連絡する」→「ご連絡する」「ご連絡します」
「説明する」→「ご説明する」「ご説明します」

●カンちがい「謙譲語」は×？「ご説明する」

「ご説明する」（ご説明します）は、自分（自分側）の動作なのに「ご」を付けて敬語にするのはおかしいと感じる人がいるようです。

「ご説明する」は、「向う先の人」がいる動詞「説明する」に「謙譲語」にする『「お」「ご」……する』を付けた構文なので、適切な敬語です。相手側を上げる敬語ではなく、自分側を下げる敬語です。

郵便はがき

おそれいりますが切手をおはりください。

103-0001

〈受取人〉

東京都中央区日本橋小伝馬町9－10

株式会社 理論社

読者カード係 行

お名前（フリガナ）

ご住所 〒　　　　TEL

e-mail

書籍はお近くの書店様にご注文ください。または、理論社営業局にお電話くださし

代表・営業局：tel 03-6264-8890　fax 03-6264-8892

http://www.rironsha.com

ご愛読ありがとうございます

読 者 カ ー ド

●ご意見、ご感想、イラスト等、ご自由にお書きください。

●お読みいただいた本のタイトル

●この本をどこでお知りになりましたか？

●この本をどこの書店でお買い求めになりましたか？

●この本をお買い求めになった理由を教えて下さい

●年齢　　　歳　　　●性別　男・女

●ご職業　1. 学生（大・高・中・小・その他）　2. 会社員　3. 公務員　4. 教員
5. 会社経営　6. 自営業　7. 主婦　8. その他（　　　　　）

●ご感想を広告等、書籍のＰＲに使わせていただいてもよろしいでしょうか？
（実名で可・匿名で可・不可）

ご協力ありがとうございました。今後の参考にさせていただきます。

「ご説明する」○

「ご説明します」○

●カンちがい「謙譲語」『「お」「ご」……する』が作れない言葉

「食べる」や「乗車する」という言葉は、この動詞だけでは、「向かう先の人」がいるわけではないので、『「お」「ご」……する』の形を使って「謙譲語」の表現を作ることはできません。

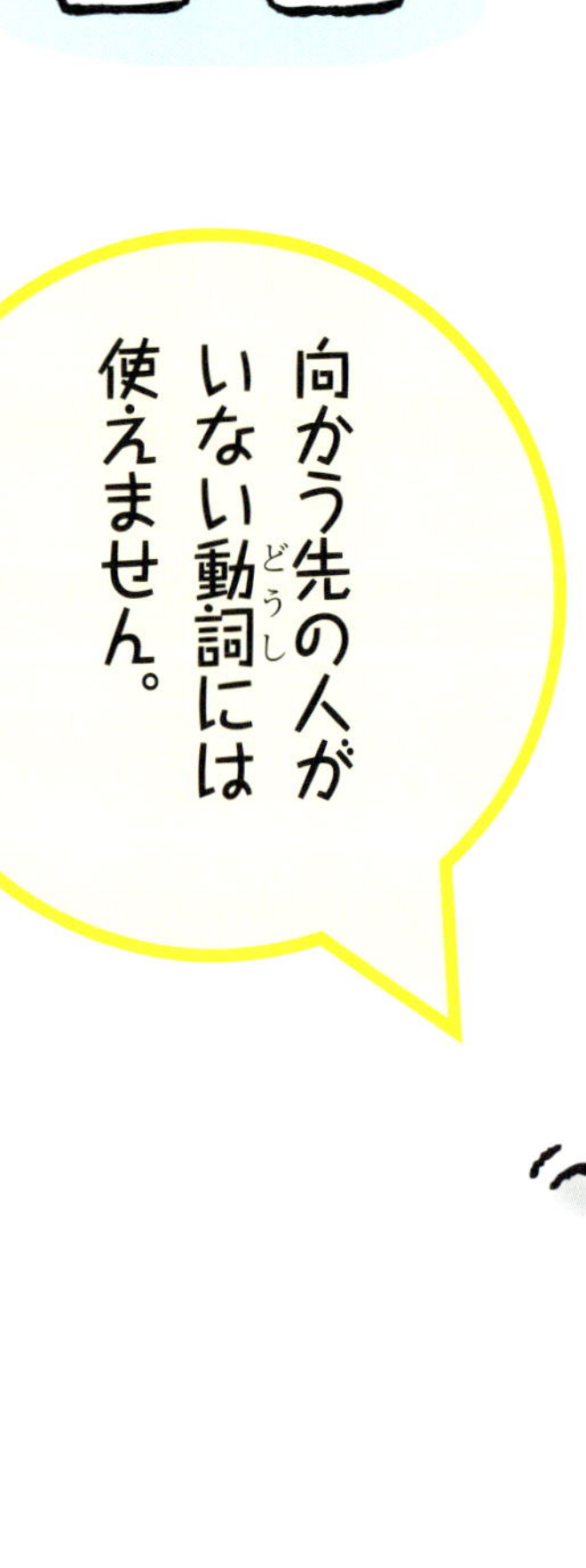

「食べる」→「お食べする」×
「寝る」→「お寝する」×
「乗車する」→「ご乗車する」×
「出発する」→「ご出発する」×

「謙譲語（けんじょうご）」の「一般形（いっぱんけい）」『「お」「ご」……申し上げる』

『「お」「ご」……する』と同じように、『「お」「ご」……申し上げる』でも、「謙譲語」の「一般形」が作れます。『「お」「ご」……申し上げる』の構文（こうぶん）は、さらに丁寧（ていねい）な「謙譲語」として定着しています。

●謙譲語「一般形」：『「お」「ご」……申し上げる』（申し上げます）

常体語（じょうたいご）→謙譲語

「ホームまで案内する」→
「ホームまでご案内する」（ご案内します）
「ホームまでご案内申し上げる」（ご案内申し上げます）

「駅のホームで待つ」→
「駅のホームでお待ちする」（お待ちします）
「駅のホームでお待ち申し上げる」（お待ち申し上げます）

「謙譲語」の「一般形」
「動詞」＋「(で)ていただく」

「動詞」＋「(で)ていただく」という構文でも、「謙譲語」の「一般形」を作ることができます。

この構文では、自分を下げて、相手の行動を上げる表現となります。

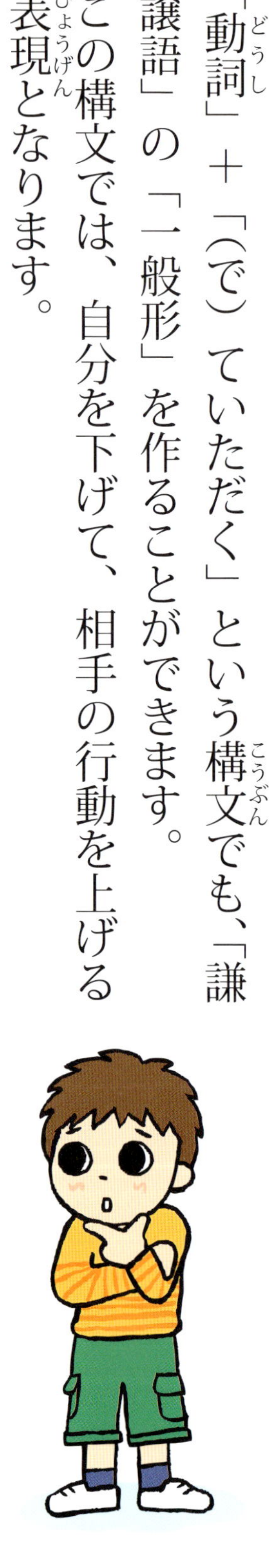

●謙譲語「一般形」：「動詞」＋「（で）ていただく」

常体語（じょうたいご）→謙譲語

「読む」→「読んでいただく」

「先生に読んでいただく」

「休む」→「休んでいただく」→

「先輩（せんぱい）に休んでいただく」

「謙譲語」の「一般形」『「お」「ご」……いただく』

『「お」「ご」……いただく』という構文でも、「謙譲語」の「一般的」を作ることができます。「(で)ていただく」よりも作りやすいと言えます。

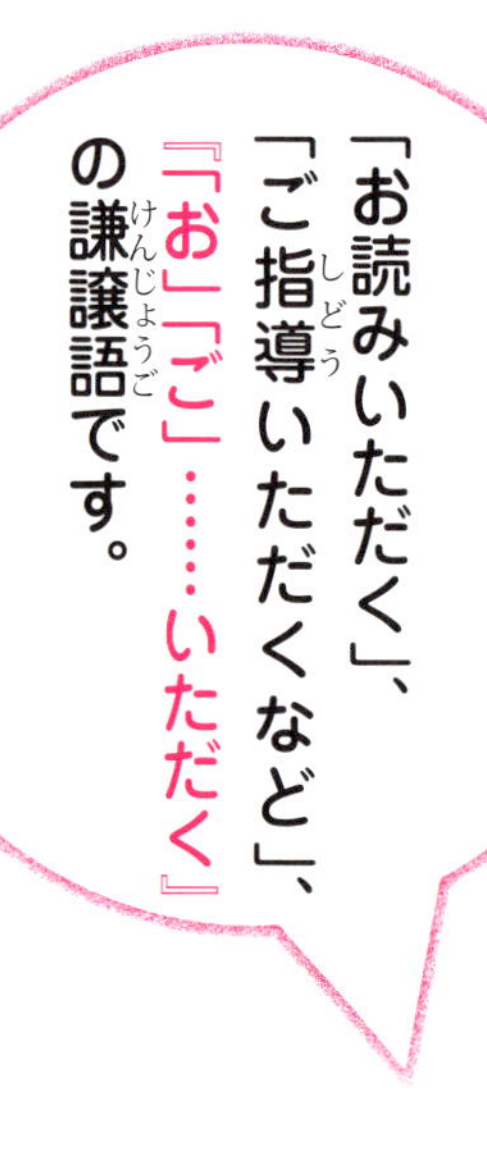

●謙譲語「一般形」：『「お」「ご」……いただく』

常体語（じょうたいご）→謙譲語

「読む」→「お読みいただく」→「先生にお読みいただく」

「指導（しどう）する」→「ご指導いただく」→「コーチにご指導いただく」

「謙譲語」の可能表現『「お」「ご」……できる』

「謙譲語」は、自分（自分側）が相手や第三者に向かう行動などについて、自分（自分側）を下げて、その向かう先を上げる表現なので、自分（自分側）が相手に対して行動できる動詞であれば、『「お」「ご」……できる』を使って、その行動が可能であることを示す「謙譲語」の表現ができます。

「できる」人に
なりましょう。

●謙譲語「一般形」:『「お」「ご」……できる』

常体語→謙譲語→可能表現

「届ける」→「お届けします」→「お届けできます」○

「協力する」→「ご協力します」→「ご協力できます」○

●カンちがい「謙譲語」「お持ち帰りできます」

「持ち帰る」は、「謙譲語」にならない動詞です。「持ち帰る」のは、自分（自分側）ではなく、相手（相手側）の行動なので、「尊敬語」を使って表現します。

「持ち帰る」を敬語にすると「尊敬語」にする「一般形」の、『「お」…なる』を使った「お持ち帰りになる」となります。ここに可能の表現を加えて、「お持ち帰りになれます」が適切な表現です。

尊敬語の「お持ち帰りになる」を可能表現にします。

「お持ち帰りできます」×

＊「持ち帰る」という動詞が「謙譲語」としては使えない言葉です。

「お持ち帰りになります」↓

＊「尊敬語」の表現です。

「お持ち帰りになれます」◯

＊「尊敬語」の可能表現です。

「拝」の付く言葉は「謙譲語」になる

名詞そのものが、「謙譲語」の働きをする言葉があります。接頭語（第一巻P18）に「拝」が付く言葉がそれです。

「拝借」「拝見」などは動詞として使用します

「拝」「拝む」

①神仏など尊いものの前で手を合わせたり、礼をして敬意を表したり祈ったりすること。

②「見る」の謙譲語。

「拝見」「拝借」「拝受」「拝命」などは、「拝見する」「拝借する」「拝受する」「拝命する」のように動詞として使うのが一般的です。「拝啓」は動詞にはなりません。

「拝啓（はいけい）」＝慎（つつし）んで申し上げます。手紙のはじめに使う言葉。

「拝察（はいさつ）」＝推察（すいさつ）することをへりくだって言う言葉。

「拝借（はいしゃく）」＝借りることをへりくだって言う言葉。

「拝顔（はいがん）」＝人に会うことをへりくだって言う言葉。

「拝眉（はいび）」＝人に会うことをへりくだって言う言葉。

「拝読（はいどく）」＝読むことを、その筆者を敬（うやま）って言う謙譲語。

「拝受（はいじゅ）」＝受け取ることをへりくだって言う言葉。

「拝命（はいめい）」＝任命（にんめい）されることをへりくだって言う言葉。

「拝（はい）」の付く言葉はほとんどが文章で使われます。

●カンちがい敬語(けいご)「ご来校する必要はありません」

学校内に「お知らせ」と貼(は)り紙がありました。「来週の日曜日に図書室の移動をしますが、児童・保護者の方は、ご来校する必要はありません」と書いてありました。何となく変な感じがします。どこが変なのでしょうか。

「ご……する」は、「謙譲語(けんじょうご)」を作る構文なので違和感(いわかん)があるのです。この場合は、相手を立てて表現するべきですので、「尊敬語(そんけいご)」の形がよいでしょう。

「ご来校する必要はありません」(謙譲語) ×

「ご来校なさる必要はありません」(尊敬語) ◯

「ご来校の必要はありません」(尊敬語) ◯

●カンちがい敬語(けいご)「過剰敬語(かじょうけいご)」、「二重敬語(にじゅうけいご)」は×

「本日の料理のメニューをご説明させて頂(いただ)きます。何かおわかりになられないメニューは、ございますか。お客様は何を召し上がられますか？」

どこがカンちがいでしょうか？

「本日の料理のメニューをご説明させて頂きます」は、文章としては成立しますが、過剰な敬語の使い方です。「本日の料理メニューをご説明します」で十分です。

「何か、おわかりになられないメニューはございますか」のうち、「何かおわかりになられない」は「何かおわかりにならない」という表現(ひょうげん)で「尊敬語(そんけいご)」としては十分です。また「ございますか」は、「ある」を自分側を下げた気持ちで言うものですから、ここは尊敬表現にして「おありになりますか」としたいところです。

「お客様は何を召し上がられますか？」で、「召(め)し上がる」という「尊敬語」と、「動詞(どうし)」＋「られる」という「尊敬語」が二重に使われています。これは、「二重敬語」と呼ばれ、適切ではない表現です。

「本日の料理のメニューを説明(いた)します。何かおわかりにならないメニューは、おありになりますか。お客様は何を召し上がりますか？」◯

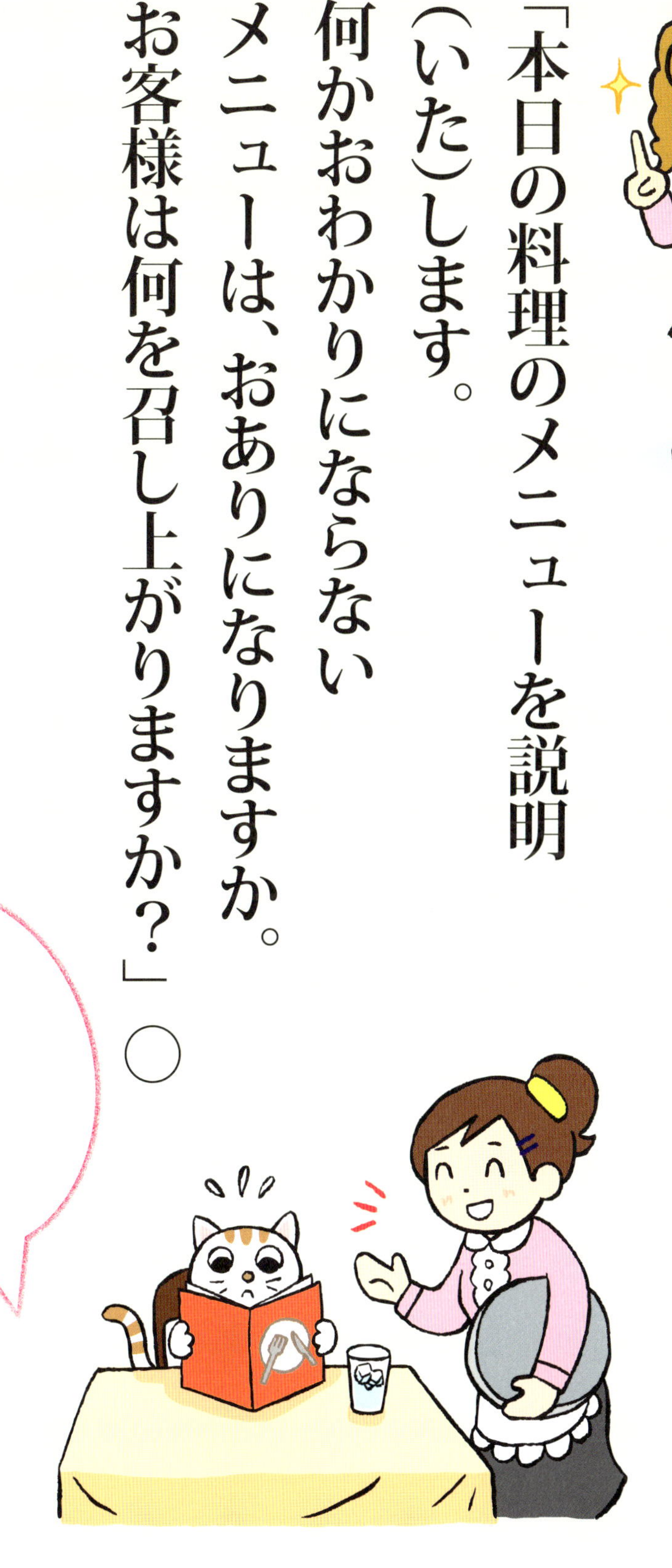

「五つの敬語」第三巻
謙譲語

参考資料
『敬語の指針』文部科学省文化審議会答申　平成 19 年 2 月 2 日
『放送で使われる敬語と視聴者の意識』（NHK 放送文化研究所）
『敬語速効マスター』鈴木昭夫（日本実業出版社）
『敬語の使い方』ミニマル＋ BLOCKBUSTER　監修：磯部らん（彩図社）
『カンちがい敬語の辞典』西谷裕子（東京堂出版）
『小学生のまんが敬語辞典』山本真吾監修（学研教育出版）
『マンガでおぼえる敬語』齋藤孝（岩崎書店）
『笑う敬語術』関根健一（勁草書房）
『大辞林（第三版）』（三省堂）

2016 年 12 月初版
2016 年 12 月第 1 刷発行

監　修　小池　保
制　作　EDIX
イラスト　細田　あすか

発行者　齋藤　廣達
編　集　吉田　明彦
発行所　株式会社 理論社
〒103-0001　東京都中央区日本橋小伝馬町 9-10
電話　営業 03-6264-8890　編集 03-6264-8891
URL http://www.rironsha.com
印刷・製本　図書印刷株式会社

ISBN978-4-652-20183-1 NDC815 B5判　27cm 47p